MISSION : ADOPTION

BISCUIT

Fais connaissance avec les chiots
de la collection *Mission : Adoption*!

Cannelle
Boule de neige
Réglisse
Carlo
Biscuit

MISSION : ADOPTION

BISCUIT

ELLEN
MILES

Texte français de Laurence Baulande

Éditions
SCHOLASTIC

Pour Barley, Ursa, Jack, Allie, Chico
et tous les autres chiens bâtards que j'ai connus et aimés.

Catalogage avant publication de Bibliothèque et Archives Canada

Miles, Ellen

Biscuit / Ellen Miles;
texte français de Laurence Baulande.

(Mission, adoption)
Traduction de : Buddy.
Niveau d'intérêt selon l'âge : Pour les 7-10 ans.

ISBN 978-0-545-99281-7

I. Baulande, Laurence II. Titre. III. Collection : Miles, Ellen.

Mission, adoption.

PZ23.M545Bi 2008   j813'.6   C2008-901292-5

Illustration de la couverture : Tim O'Brien
Conception graphique de la couverture : Steve Scott

Édition publiée par les Éditions Scholastic,
604, rue King Ouest, Toronto (Ontario) M5V 1E1.

5 4 3 2 1   Imprimé au Canada   08 09 10 11 12

Imprimé sur du papier contenant 30 % de matériaux recyclés

6

arbres de nos forêts ont été sauvés.

Préservons notre environnement

Scholastic a choisi d'imprimer ce livre sur du papier recyclé et a
réduit sa consommation de ressources[1] et sa pollution[1] dans les mesures suivantes[1] :

énergie	eau	gaz à effet de serre	déchets solides
4 millions de BTU	8 400 litres	243 kg	130 kg

Imprimé par Webcom Inc. sur du papier
Legacy Trade Book White 30% à contenu postconsommation de 30 %.

FSC

Sources Mixtes
Groupe de produits issu de
forêts bien gérées et de bois
ou fibres recyclés

Cert no. SW-COC-002358
www.fsc.org
© 1996 Forest Stewardship Council

[1] L'estimation des effets sur l'environnement a été faite au moyen du calculateur «Environmental Defense Paper Calculator».

CHAPITRE UN

Rosalie Fortin poussa la porte des Quatre Pattes, le refuge pour animaux où elle travaillait comme bénévole.

– Rosalie! Il est déjà trois heures?

Mme Daigle, la directrice du refuge, avait l'air fatiguée et perdue dans ses pensées.

– On a été tellement occupés aujourd'hui.

– En fait, il n'est que deux heures et demie, répondit Rosalie. Je suis venue un peu plus tôt.

Elle écrivit son nom sur la feuille de présence des bénévoles et regarda sur le tableau s'il y avait de nouveaux pensionnaires.

– Qui c'est Skipper? demanda-t-elle en voyant le nom inscrit en rouge, la couleur pour les chiens. Et qu'est-ce que ça veut dire, Skipper et compagnie?

Rosalie était toujours très excitée quand de

nouveaux chiens arrivaient au refuge. Peut-être qu'elle et sa famille pourraient en accueillir un le temps de lui trouver une nouvelle famille! Rosalie travaillait comme bénévole aux Quatre Pattes depuis deux mois. Elle venait tous les samedis après-midi. Elle adorait être au milieu des chats et des chiens et de toutes les personnes qui s'occupaient d'eux.

Les Quatre Pattes était un refuge pour les animaux ayant besoin d'un nouveau foyer. Il y avait là des chats et des chiens errants trouvés sur des petites routes de campagne ou dans des stationnements; dans ce cas, l'équipe du refuge essayait de retrouver leurs maîtres. Il y avait aussi des animaux qui avaient été abandonnés près d'une ferme ou sous le porche d'une maison. D'autres enfin étaient des animaux de compagnie choyés, que leurs propriétaires n'avaient pas pu garder.

Mme Daigle faisait de son mieux pour trouver la famille idéale à chacun de ses pensionnaires. Mais en attendant leur foyer définitif, ils avaient tous besoin d'exercice, d'amour et de soins. C'est là que les bénévoles entraient en scène. Il y avait toujours quelque chose à faire : répondre au téléphone, nettoyer les cages, nourrir les animaux, faire leur toilette. Rosalie était seulement en quatrième année, alors elle ne faisait rien de tout ça. Cependant elle avait le travail le plus intéressant : s'assurer que les chiens font assez d'exercice! Rosalie adorait les chiens. Elle adorait jouer avec eux, lire tout ce qu'elle pouvait trouver à leur sujet et même inventer des histoires sur les chiens. Son frère cadet, Charles, et elle-même rêvaient d'avoir leur propre chien et ils en réclamaient un à leurs parents depuis des années. Leur père aussi aimait les chiens, mais leur mère préférait les chats. Et tous deux avaient décidé que la famille n'était pas encore prête à accueillir un chien à temps plein.

C'était en partie à cause du Haricot, le deuxième frère de Rosalie. (Son vrai prénom était Adam, mais personne ne l'appelait ainsi.) Il était encore tout petit et l'empêcher de faire des bêtises était un travail à plein temps. Le plus drôle, c'était que le Haricot aussi adorait les chiens. Il les aimait tellement qu'il faisait même semblant d'en être un. Il réclamait de la nourriture en faisant le tour de la table pendant les repas, aboyait quand il y avait des visiteurs, et préférait jouer avec des jouets pour chiens plutôt qu'avec des jouets pour enfants.

— Avec le Haricot, j'ai déjà un chien à la maison, et ça me suffit, disait maman.

Et elle soulignait que le Haricot, lui au moins, ne laissait pas des poils partout, ne déchirait rien et ne mâchouillait pas les chaussures.

Charles et Rosalie avaient donc dû se contenter de chiots à temps partiel. Les Fortin étaient devenus une famille d'accueil qui s'occupait de chiots jusqu'à ce qu'ils leur trouvent la famille parfaite. Ils avaient déjà pris soin de quatre chiots.

Le premier, Cannelle, était une petite femelle golden retriever, très gaie, qui habitait dans une ferme qui avait brûlé. M. Fortin, qui était pompier, l'avait ramenée à la maison après l'avoir sauvée des flammes. Finalement, Cannelle était partie vivre chez les voisins où vivait Sammy, le meilleur ami de Charles. Elle était la compagne de jeux parfaite pour Rufus, l'autre chien, plus âgé, de Sammy.

Le chiot suivant avait été Boule de neige, un petit terrier blanc du west-highland. Il avait énormément d'énergie et beaucoup, beaucoup de personnalité. Les Fortin lui avaient trouvé un merveilleux foyer chez une femme très gentille, Mme Hébert.

Ensuite, ce fut le tour de Réglisse, un petit labrador

noir très sérieux. Avec l'aide de Maria, sa nouvelle meilleure amie, Rosalie lui avait trouvé une place dans une famille qui l'entraînerait pour devenir un chien-guide pour personne aveugle.

Le dernier avait été Rascal, l'enfant terrible. C'était un terrier Jack Russel plein d'énergie et impossible à dresser. Il ne pouvait pas habiter dans une famille normale. Les Fortin avaient fini par le placer dans un centre d'équitation où il n'avait pas besoin de connaître les bonnes manières d'un chien d'intérieur. C'était le foyer parfait pour ce petit vaurien.

Charles, Rosalie et le Haricot avaient adoré chacun de ces chiots. À chaque fois, ils avaient espéré qu'ils pourraient le garder, mais ils savaient que les chiots avaient trouvé la famille parfaite pour eux et c'était le plus important.

Cela faisait plusieurs mois que les Fortin n'avaient pas accueilli un chiot. Rosalie avait décidé de travailler comme bénévole aux Quatre Pattes, car la compagnie des chiens lui manquait beaucoup!

Cet après-midi-là, au refuge, Rosalie avait hâte de rencontrer ce nouveau chien, Skipper.

– C'est un mâle ou une femelle? demanda-t-elle à Mme Daigle.

Mme Daigle marqua une pause.

– C'est une femelle, répondit-elle finalement. Mais il y a un problème. Le refuge est tellement plein que je ne sais pas où je vais la mettre. J'ai déjà dû mettre deux chiens dans la niche cinq. Nous avons près d'une quinzaine de chiens en attente d'adoption! On n'a plus du tout de place ici, et Skipper a vraiment, vraiment besoin d'espace. Il lui faudrait une famille d'accueil.

– Peut-être que ma famille pourrait la prendre, suggéra Rosalie. Est-ce que c'est un chiot?

– C'est-à-dire…non, répondit Mme Daigle. Mais…

– Ce n'est pas grave, l'interrompit Rosalie. Si elle a besoin d'une maison et qu'il n'y a pas de place pour elle ici, je suis sûre que nous pourrions nous en occuper quelques jours. Bien sûr, il faudra que je convainque maman, mais comme c'est un chien adulte, ça devrait être plus facile.

Tout en discutant, Rosalie et Mme Daigle se dirigeaient vers le chenil. Elles passèrent devant la salle d'examen où chaque animal apporté au refuge était examiné par un vétérinaire. Elles passèrent ensuite devant la salle de bains, où tant de chiens avaient pris des bains mouvementés… Ensuite, il y avait les deux pièces réservées aux chats. Rosalie jeta un coup d'œil à l'intérieur. Il y avait des chats et des chatons de toutes les races en train de dormir, d'escalader leur cage ou de faire leur toilette.

Alors qu'elles approchaient du chenil, Rosalie entendait les chiens qui aboyaient. C'était étrange. Parfois un seul chien aboyait, mais d'autres fois, tous les chiens se mettaient à aboyer en même temps comme des enfants dans une salle de classe qui crieraient : « Moi! Moi! »

Mme Daigle poussa la porte du chenil et entra. À l'intérieur, il y avait dix enclos séparés par des clôtures métalliques qui allaient du sol au plafond. Chaque chien avait son lit, et le nom du chien ainsi que les instructions pour la nourriture et la promenade étaient affichés devant chaque enclos. Les enclos étaient également pourvus d'une porte qui donnait accès à une cour clôturée extérieure de manière à ce que les chiens puissent sortir tout seuls quand il n'y avait pas de bénévoles pour les emmener en promenade. La salle était remplie de lumière du jour et bien chauffée. Les chiffres sur chaque enclos étaient peints à la main. Rosalie savait que les refuges pour animaux étaient parfois des endroits tristes et elle était contente que Les Quatre pattes soit aussi chaleureux.

Mme Daigle montra du doigt l'enclos numéro un, la cage la plus proche de la porte.

– C'est Skipper, dit-elle. Et maintenant tu sais ce que « et compagnie » signifie.

La chienne avait un beau pelage brun et roux, avec de grands yeux brillants brun chocolat et des oreilles toutes droites. Pour l'instant, ses oreilles étaient pointées vers la porte comme un radar. Mais la chienne ne bondit pas sur ses pieds comme les autres chiens du chenil. Elle resta couchée et se mit à fixer Mme Daigle du regard.

Skipper se demandait qui était cette petite fille. Pouvait-elle lui faire confiance? Pouvait-elle se lever et lui montrer ses trésors. Elle décida que oui.

Quand Skipper bougea, Rosalie étouffa un cri.

– Oh mon dieu! dit-elle en voyant ce qui était blotti au creux du ventre de la chienne.

Trois petits chiots.

8

Trois minuscules et adorables petits chiots bruns et roux qui s'éveillaient.

CHAPITRE DEUX

Pendant quelques instants, Rosalie resta bouche bée. Elle regardait intensément les chiots.

– Oh, soupira-t-elle finalement. Ils sont tellement, tellement mignons.

Les chiots avaient un pelage doux et soyeux. Deux étaient bruns avec des taches rousses, l'un étant plus foncé que l'autre. Ces deux chiots étaient plus gros que le troisième qui était surtout roux avec quelques taches brunes. Tous les trois dormaient, lovés en boule près de leur mère. L'un d'eux bailla et Rosalie vit sa petite langue rose. Un autre se leva et fit quelques pas mal assurés, sa petite queue dressée bien droite. Rosalie savait que Charles, son frère, allait *adorer* ces chiots.

– Les deux grands sont des femelles, mentionna Mme Daigle. Et le petit roux est un mâle. Il a une tache en forme de cœur sur la poitrine.

À ce moment-là, le chiot roux entreprit d'escalader une de ses sœurs et Rosalie vit la marque blanche dont parlait la directrice.

— Ce sont peut-être des croisés de bergers allemands, ajouta Mme Daigle. Ou alors de chows-chows.

Rosalie avait une affiche dans sa chambre qui représentait les races de chiens dans le monde. Elle le consultait souvent pour en apprendre toujours plus sur les différentes races de chiens. Habituellement, elle était capable de dire immédiatement de quelle race de chiens il s'agissait, mais Skipper et ses chiots avaient l'air d'être un mélange de plusieurs races. L'affiche disait qu'il s'agissait de « Chiens nord-américains ». « Des bâtards » disait son père. Et il ajoutait que c'était les meilleurs.

Mme Daigle était d'accord. Elle avait dit à Rosalie que les bâtards combinaient souvent les meilleures caractéristiques de plusieurs races et que cela donnait des chiens forts et en santé. Par exemple, un chien qui aurait pour père un labrador et pour mère une colley, pouvait être très doux avec les enfants et aimer jouer à la balle (comme les labradors), mais aussi être fidèle et avoir une belle fourrure douce (comme les colleys).

– Ce sont des mélanges de plusieurs races, mais nous n'avons pas réussi à *déterminer* lesquelles, dit Mme Daigle. Peut-être ont-ils un peu de golden retriever, ils sont tellement gentils!

– Comment s'appellent-ils?

Mme Daigle haussa les épaules.

– On a été tellement occupés ces jours-ci que je n'ai pas eu l'occasion de leur donner des noms, répondit-elle. Julie a appelé la mère Skipper, mais nous nous sommes dit que les personnes qui adopteraient les chiots choisiraient leurs noms.

Rosalie aimait beaucoup Julie. C'était une étudiante en secondaire cinq qui travaillait au refuge. Rosalie la trouvait formidable. Elle avait l'air de vraiment tout savoir sur les chiens et les chats. En plus, elle était une championne de l'organisation. C'était elle par exemple, qui avait eu l'idée du tableau blanc à l'entrée avec les codes de couleurs.

Rosalie observa Skipper et sa petite famille. Les chiots gémissaient et reniflaient doucement en se pressant contre leur mère, prêts à téter.

– Quel âge ont-ils? demanda Rosalie.

– Quatre ou cinq semaines je pense, répondit la

directrice. Ils ont les yeux ouverts, ils marchent et courent même un peu, donc ils ne sont pas si jeunes. On va pouvoir commencer à leur donner de la nourriture solide, mais ils vont encore avoir besoin de leur mère encore quelque temps.

– Ce qui veut dire...

Rosalie commençait tout juste à comprendre.

Mme Daigle hocha la tête.

– Exactement, dit-elle. La famille qui accueillera Skipper devra aussi prendre les petits. Toute la portée. Quatre chiens pour le prix d'un, c'est l'offre du mois. C'est beaucoup de travail et de responsabilité.

– Je sais, répondit la jeune fille. Mon frère et moi avons déjà pris soin de plusieurs chiots. Un seul chiot, ça fait déjà beaucoup, alors trois petits et leur maman...ouah.

– Et ce n'est pas tout, continua Mme Daigle. Ce n'est pas une mission de quelques jours. Même si la famille d'accueil trouve quelqu'un pour adopter les chiots, elle devra quand même les garder jusqu'à ce qu'ils soient assez âgés pour aller dans leur nouveau foyer.

– Jusqu'à ce qu'ils aient huit semaines à peu près?

demanda Rosalie.

Elle avait appris beaucoup de choses sur les chiots.

– C'est ça, confirma Mme Daigle.

Rosalie hocha la tête. Cela ne serait pas facile de convaincre maman de prendre Skipper et ses petits, surtout pour trois ou quatre semaines. Mais elle était persuadée que les Fortin étaient la famille d'accueil idéale pour eux. Elle était déjà complètement conquise et savait qu'elle et sa famille en prendraient soin parfaitement.

– D'où viennent-ils? demanda-t-elle.

Mme Daigle soupira.

– C'est un policier qui les a trouvés à l'arrière d'un supermarché, à côté des poubelles. Skipper s'était fabriqué un lit avec de vieilles boîtes en carton et elle se nourrissait avec les restes de nourriture qu'elle trouvait. Elle faisait de son mieux, mais ce n'était pas facile de prendre soin des chiots dans ces conditions.

Rosalie sentit les larmes lui monter aux yeux.

– C'est tellement triste, dit-elle.

Elle préférait ne pas imaginer comment une gentille

chienne comme Skipper avait pu échouer dans un stationnement.

— Les chiots aussi sont assez extraordinaires, reprit la directrice. Quand les policiers ont trouvé les chiots, leur mère était partie chercher de la nourriture. Les deux grandes s'étaient blotties contre le plus petit pour le tenir chaud. Ce sont de super grandes sœurs.

Pendant toute la conversation entre Rosalie et Mme Daigle, un chien avait aboyé comme un fou. Et soudain, tous les autres chiens décidèrent de faire de même. Rebondissant sur le plancher et les murs en béton, les aboiements remplirent le chenil. Le seul chien qui n'aboyait pas était Skipper. Elle léchait ses petits pendant qu'ils buvaient. Même au milieu de tout ce bruit, elle semblait calme et heureuse.

Mme Daigle sourit à Rosalie en secouant la tête.

— Quel vacarme! cria-t-elle. Retournons au bureau pour pouvoir parler tranquillement.

Rosalie regarda une dernière fois Skipper et ses chiots. Elle avait la gorge serrée, comme si elle était sur le point de pleurer. Skipper avait tout donné pour prendre soin de sa famille. Elle méritait une pause. Elle méritait un peu d'aide.

– Est-ce que je peux appeler ma mère? demanda Rosalie dès qu'elles arrivèrent au bureau.

Une chienne et ses trois petits. C'était une grosse affaire! Skipper avait besoin de l'aide des Fortin. Rosalie devait parler à sa famille.

Mme Daigle hocha la tête et désigna le téléphone.

– Je t'en prie, dit-elle.

Rosalie composa son numéro et croisa les doigts pendant que le téléphone sonnait. Quand sa mère décrocha, Rosalie dit :

– Maman, c'est moi, Rosalie, tu ne vas jamais me croire, mais je pense qu'il y a un chien ici que nous devrions accueillir chez nous.

– Un chien? demanda sa mère. Pas un chiot?

–C'est-à-dire… commença Rosalie. Pourrais-tu me rejoindre au refuge, avec papa, Charles et le Haricot? Je crois que c'est le moment de tenir un conseil de famille.

CHAPITRE TROIS

Quand Rosalie raccrocha, Mme Daigle lui lança un regard interrogateur.

– Un conseil de famille Fortin? demanda-t-elle.

Rosalie hocha la tête.

– C'est une réunion spéciale, répondit la jeune fille. On en fait toujours un quand on a une décision importante à prendre en famille.

C'était parfois compliqué de réunir tous les Fortin, mais si l'un d'eux demandait un conseil de famille, les autres abandonnaient ce qu'ils étaient en train de faire pour y assister.

– Eh bien, dit Mme Daigle. C'est assurément une décision très importante. Accueillir Skipper et sa portée serait une grosse responsabilité et tous les membres de ta famille doivent donner leur accord.

Rosalie hocha de nouveau la tête.

– Je sais, répondit-elle.

Elle imaginait très bien comment chacun allait réagir à l'idée de prendre Skipper et les trois chiots. Charles serait complètement pour. Le Haricot aussi bien sûr. Papa serait un peu réticent, mais il donnerait son accord, si Charles et Rosalie promettaient de faire la plus grosse partie du travail. Et maman? Elle, il allait falloir la convaincre. Elle s'était faite à l'idée d'être une famille d'accueil pour chiots, mais jusqu'ici, ils n'avaient eu qu'un seul chiot à la fois. Là, c'était une situation complètement différente.

Rosalie promena trois chiens du refuge en attendant que sa famille arrive. Pendant tout ce temps-là, elle garda les doigts croisés pour mettre toutes les chances de son côté.

Elle retourna aussi plusieurs fois voir Skipper. À sa troisième visite, elle fut à peu près sûre que Skipper la reconnaissait. Et elle fut tout à fait certaine que Skipper l'aimait bien. Les chiennes qui ont des petits sont parfois très protectrices, mais Rosalie eut l'impression que Skipper accepterait de la voir s'occuper de ses chiots. Elle avait très hâte de les prendre!

Enfin, alors qu'elle était dans la cour clôturée en train de jouer à la balle avec un labrador noir appelé Tiago, elle vit la voiture tout-terrain rouge de son père entrer dans le stationnement.

Rosalie rentra en courant et venait juste de ramener Tiago dans sa niche quand Mme Daigle entra dans le chenil, suivie par Charles, Papa et Maman. Papa tenait fermement le Haricot par la main pour l'empêcher de se précipiter vers les enclos et de passer ses doigts à travers le grillage. Tous les chiens avaient toujours eu l'air d'adorer le Haricot, mais Rosalie et sa famille savaient qu'il valait mieux être prudent.

Maman se cachait les oreilles avec ses mains, car tous les chiens avaient décidé d'aboyer pour souhaiter la bienvenue aux visiteurs.

— Rosalie? demanda Mme Daigle. Voudrais-tu présenter Skipper à ta famille?

Rosalie sentit son cœur sombrer dans sa poitrine. Plus que tout au monde, elle souhaitait ramener Skipper chez elle et l'aider à s'occuper de ses petits pour qu'ils soient heureux, au chaud et en sécurité, le temps de trouver à chacun la famille parfaite. Elle avait les doigts croisés depuis tellement longtemps qu'elle commençait à avoir des crampes. Mais elle essaya de ne pas laisser paraître sa nervosité dans sa voix.

— Bien sûr, dit-elle. Elle est par ici.

Elle guida sa famille jusqu'à la niche de Skipper.

Skipper était roulée en boule sur le lit en velours côtelé vert et les regardait avec l'air fier d'une jeune maman. Ses trois chiots poussaient de petits aboiements et grognements aigus tout en explorant leur niche et en grimpant les uns sur les autres pour former un amas de chiots heureux.

Rosalie observait sa mère, pleine d'espoir alors qu'ils s'approchaient de la chienne.

— Tu vois, dit-elle, l'affaire, c'est que Skipper a...

Charles les vit le premier.

— Des chiots! cria-t-il, surpris.

Papa laissa échapper un « oh! » en les apercevant, mais il y avait un grand sourire sur son visage.

— Iot! Iot! hurla le Haricot avec son drôle de petit rire.

Maman jeta un coup d'oeil à la portée, puis se tourna vers Rosalie.

— Rosalie, Maude Fortin, dit-elle. As-tu perdu la tête?

Elle utilisait le nom entier de Rosalie uniquement quand elle était très, très en colère contre elle.

– Maman... commença Rosalie.

Mme Daigle l'interrompit.

– Je sais que c'est beaucoup vous demander, dit-elle, et normalement, je ne confierais Skipper et sa portée qu'à une famille d'accueil qui a l'expérience des chiots très jeunes, mais nous sommes débordés. Nous avons trop de chiens en ce moment.

Charles, papa et le Haricot, tout excités, regardaient les chiots jouer.

– Regardez le petit, dit papa. Comme il est mignon.

– C'est le mâle, expliqua Rosalie, les deux autres sont des femelles.

– Des grandes sœurs tannantes, dit Charles. Exactement comme la mienne.

Il fit une grimace et tira la langue à Rosalie. Pendant ce temps-là, les deux chiots les plus forts avaient renversé le plus petit pour attraper un petit jouet en plastique. Charles éclata de rire.

– Ils ressemblent aux chiots de *Drôles de chiots*, dit-il.

C'était un de ses livres préférés, et à Rosalie

également. Cécile Vareuil, son auteure, venait d'emménager à Saint-Jean. C'était une nouvelle importante! Et encore plus important, le lundi suivant, elle allait rendre visite à toutes les classes de l'école de Saint-Jean!

La mère de Charles et Rosalie, qui était journaliste pour le Courrier de Saint-Jean, avait écrit un article sur l'écrivaine. Elle était allée chez elle pour la rencontrer, et leur avait raconté que le succès ne lui montait pas à la tête.

Mme Fortin ne disait pas un mot. Elle ne regardait même pas les chiots. Elle fixait toujours sa fille, les sourcils froncés.

— Comment pourrions-nous accueillir toute une portée? demanda-t-elle. Avec toi et Charles à l'école et le Haricot qui exige tellement d'attention à la maison?

Elle secoua la tête.

— Oh, maman, dit Charles. S'il te plaît? Beaucoup, beaucoup de s'il te plaît?

Il la regardait, l'air suppliant.

— Iot? Iot? demanda le Haricot, plein d'espoir.

— OK, c'est l'heure du conseil de famille, intervint papa. Voilà ce que j'en pense : c'est beaucoup de travail. Mais si nous nous y mettons tous, nous pouvons y arriver.

Il sourit à Charles et à Rosalie.

– Ces deux-là nous ont prouvé qu'ils pouvaient être vraiment responsables, rappela-t-il. Donc, j'accepte le projet, si le reste de la famille l'accepte aussi, conclut-il.

– Ce serait une super expérience pour toute la famille, ajouta Rosalie.

Elle savait que sa mère aimait les projets qui réunissaient toute la famille.

– Et c'est seulement pour quelques semaines.

– Et vous nous rendriez un *énorme* service, répliqua Mme Daigle. Nous vous aiderons le plus possible, en vous donnant du matériel et plein de conseils.

Finalement, maman arrêta de fixer Rosalie. Elle regarda Skipper et ses petits et Rosalie vit le regard de sa mère s'adoucir. Le petit chiot mâle gémissait. Il avait besoin de l'aide de sa mère. Il était coincé entre deux grands bols de nourriture. Skipper le poussa doucement et ses gémissements se changèrent en petits soupirs joyeux tandis qu'il courait vers sa maman.

Rosalie eut l'impression que sa mère commençait à

s'intéresser à Skipper. Après tout, c'étaient toutes les deux des mamans.

— Maman, demanda doucement Rosalie. S'il te plaît?

— Eh bien… dit maman.

CHAPITRE QUATRE

Le lendemain matin, Charles se réveilla tôt. Dès qu'il ouvrit les yeux, la première chose à laquelle il pensa fut : les chiots! Il enfila un chandail par-dessus son pyjama et descendit à la cuisine. Il était content que ce soit dimanche. Il allait pouvoir passer toute la journée avec Skipper et ses trois bébés. Toute la maison dormait. Quand il alluma la lumière dans la cuisine, Skipper leva vers lui ses grands yeux bruns et doux.

Charles pensa qu'il était chanceux d'être le premier réveillé. Il aurait les chiots pour lui tout seul. La soirée d'hier avait été tellement folle! Il n'avait pas vraiment eu le temps de faire leur connaissance.

Une fois que toute la famille était tombée d'accord pour accueillir Skipper et ses chiots, tout s'était passé très vite. Mme Daigle leur avait donné un cours 101 exprès sur la manière d'élever des chiots, puis les Fortin avaient ramené la portée chez eux le soir même.

Avant le souper, papa était allé en ville et était revenu avec une grande boîte en carton qui avait contenu une laveuse. Il avait aussi rapporté des pâtés impériaux et du poulet lo mein du restaurant l'Étoile de la Chine. C'est le plat préféré de Charles, après la pizza.

Avant de se mettre à table, Charles, Rosalie et M. Fortin avaient découpé le carton et l'avait mis dans un coin de la cuisine. C'était un lit parfait pour Skipper et ses chiots. Le Haricot leur avait donné l'une de ses vieilles couvertures de bébé et deux de ses jouets pour chien préférés : sa Dolly en peau de mouton et son grand serpent tout déchiré.

Ils avaient passé tout le reste de la soirée à installer confortablement Skipper et ses chiots. Quand il fut l'heure d'aller au lit, Charles et Rosalie étaient épuisés. Même le Haricot grimpa dans son « lit de grand garçon » sans faire d'histoires. Papa et maman promirent de venir voir les chiots au moins une fois dans le courant de la nuit.

À la lumière du petit matin, Skipper dressa la tête et agita la queue en voyant Charles s'approcher de sa boîte.

– Bonne fille, dit Charles en caressant les douces oreilles de Skipper.

Les trois chiots étaient profondément endormis, mais ils commencèrent à s'agiter en entendant Charles. Le garçon tendit le bras pour attraper la petite chienne la plus foncée.

– Tout va bien, dit-il à Skipper. Mme Daigle a dit qu'il était temps pour eux de commencer à s'habituer aux gens. Je te promets de faire très, très attention.

Skipper savait qu'elle pouvait faire confiance à ce garçon. Il était gentil et attentionné. Mais ce n'était pas facile de voir ses bébés aussi loin d'elle. Elle gémit doucement et ne quitta pas des yeux le garçon qui posait le chiot sur ses genoux.

Charles s'assit jambes croisées dans la cuisine et caressa le petit chiot si chaud et si doux.

– Tu t'es levé bien tôt, dit papa qui arriva dans la cuisine quelques minutes plus tard.

Il mit en marche la cafetière, puis s'agenouilla

pour caresser Skipper. Ce fut ensuite au tour de
Rosalie d'entrer dans la cuisine et très vite, elle fut
assise à côté de Charles avec la petite chienne au poil
brun pâle dans les bras.

Le temps que toute la famille soit réunie, la lumière
entrait à flot et l'odeur délicieuse des bonnes crêpes
de M. Fortin embaumait la cuisine. Déjà Skipper
acceptait plus facilement de voir ses petits loin d'elle,
et Charles et Rosalie faisaient connaissance avec
leurs nouveaux invités.

— Iot! Iot! cria le Haricot en se précipitant pour
attraper un des chiots.

— Non, non, dit maman en le retenant par le
chandail.

« Non » n'est pas le mot préféré du Haricot. Il
regarda maman.

— Tu peux les regarder, et tu peux en flatter un si
Charles ou Rosalie le tient, lui expliqua maman. Mais
les chiots sont encore très jeunes et il faut être très
doux avec eux.

Le Haricot eut l'air de vouloir se mettre à pleurer.

Aussitôt, Charles lui fit signe de venir s'asseoir en
tapotant le plancher.

— Viens voir, les chiots vont prendre leur déjeuner, lui dit-il.

Rosalie et Charles avaient remis les chiots dans la boîte avec leur mère. Ils avaient commencé à gémir et Rosalie avait deviné qu'ils devaient avoir faim. Ils avaient couru droit vers Skipper et avaient commencé à boire.

Le spectacle était tellement passionnant que les Fortin oublièrent complètement leur propre déjeuner. Les crêpes refroidissaient sur la table.

— Et le petit mâle? demanda maman au bout d'un moment. Il ne mange pas.

— C'est à cause de ses stupides grandes sœurs qui le repoussent tout le temps, répondit Charles.

Doucement, maman se pencha à l'intérieur de la boîte et aida le petit chiot à se trouver une place pour boire. Puis elle caressa la tête de Skipper.

Skipper lécha la main de la dame. Elle sentait que cette femme était une maman, comme elle. Elle savait que le petit garçon de Skipper avait besoin d'un peu d'aide.

— Le petit mâle est très timide, dit Rosalie.

— Et la femelle avec le pelage brun foncé est très aventureuse, déclara Charles. Elle est toujours la première à aller renifler un nouvel objet.

— La plus claire est très câline, dit papa. Elle fait plein de bisous et veut toujours venir dans nos bras.

C'était incroyable de voir que, même très jeunes, les chiots avaient déjà chacun leur personnalité.

— Il faut leur donner un nom! s'exclama Charles.

— Leurs vraies familles voudront sans doute le faire, dit maman.

Elle rappelait souvent à Charles et Rosalie qu'ils n'étaient qu'une famille d'accueil.

— Mme Daigle a dit que nous pourrions leur donner des noms provisoires, intervint Rosalie. Que diriez-vous de Tic, Tac et Toe?

— C'est nul! dit Charles, qui avait une autre idée. Que pensez-vous de Joe, Jack, William et Averell, comme les Dalton?

— Mais il n'y a que trois chiots! rétorqua Rosalie.

Oups. Exact. Peut-être avait-il parlé trop vite. Mais il ne voulait pas renoncer à son idée.

— O.K., dit-il, on pourrait peut-être oublier Averell…

Rosalie secoua la tête.

– Et pourquoi pas Larry, Moe et Curly? demanda papa. C'est le nom des trois Stooges, à la télé. J'adorais ces gars quand j'étais plus jeune.

Il donna une petite tape sur la tête de Charles.

– *Nyuk, nyuk, nyuk*, dit-il avec une drôle de voix.

Ce fut au tour de maman de secouer la tête.

– C'était trois garçons, dit-elle. Je pense que nous devrions donner des noms plus poétiques aux deux petites filles.

– Qu'est-ce que tu proposes? demanda Rosalie.

– Eh bien, on pourrait appeler la plus claire Capucine, par exemple.

Rosalie réfléchit quelques instants.

– Ça me plait bien, dit-elle.

Elle se pencha pour attraper la petite femelle si câline, qui était à moitié endormie après avoir bu.

Charles aussi aimait bien.

– Et la plus foncée pourrait s'appeler Dalia! ajouta-t-il.

– Et toi, mon petit gars? demanda Rosalie au petit chiot qui reniflait le bol de nourriture de sa mère.

Il avait l'air particulièrement intéressé par les biscuits à la viande.

— Et que diriez-vous de… Biscuit? dit Charles.

Le petit chiot releva la tête quand le garçon prononça ce nom.

— Il a l'air de l'aimer, non?

Le chiot regarda de nouveau Charles.

— O.K., dit Rosalie en riant. Allons-y pour Biscuit.

— Je crois que nous leur avons trouvé des noms parfaits, s'écria Charles.

Charles était le petit garçon le plus heureux du monde. Il se disait que si, finalement, il y avait quelque chose de plus merveilleux qu'un chiot, c'était… trois chiots!

CHAPITRE CINQ

Les crêpes étaient toujours en train de refroidir sur la table quand Sammy, le meilleur ami de Charles, fit irruption dans la cuisine.

– Où sont les petits chiens? demanda-t-il aussitôt. Qu'est-ce qu'il y a pour le déjeuner? Et est-ce que quelqu'un va manger ces crêpes?

Sammy était leur voisin le plus proche, et on avait l'impression qu'il prenait la plupart de ses repas chez les Fortin. Il était toujours à l'heure pour le déjeuner le matin, et il entrait toujours en trombe sans frapper à la porte.

C'était étonnant que Sammy ne cogne jamais à la porte, car pourtant, il adorait les blagues « Toc-toc-toc-qui-est-là ». Il en avait une nouvelle presque tous les jours et en général, Charles avait aussi une nouvelle blague pour lui. Mais pas ce matin-là. Avant même que Sammy puisse dire « Toc-Toc-Toc », Charles fit « Chut! ». Il montra la boîte du doigt. Il avait appelé Sammy la veille au soir pour lui parler des chiots. Maintenant, il avait très hâte de les lui montrer, mais il savait qu'il valait mieux ne pas faire trop de bruit près de Skipper et de ses petits.

Skipper était inquiète. Qui était ce garçon bruyant? Elle se leva juste au cas où elle aurait à défendre ses chiots.

Dalia n'était pas du tout inquiète. Elle commença à marcher en direction de ce garçon. Tout ce qui était nouveau était intéressant. Dalia voulait tout savoir sur tout.

Capucine le remarqua à peine. Elle était trop occupée à lécher le menton de la grande fille. Elle allait lui donner encore un petit coup de langue. O.K. Deux.

Biscuit se demanda où allait sa mère. Hé! Il n'avait pas fini de boire! Il avait tellement faim. Pourquoi ses sœurs prenaient-elles tout le lait? Avant, elles prenaient soin de lui, mais maintenant, elles le repoussaient.

– Oh, ouah! dit Sammy à voix basse. Comme ils sont mignons! Je peux en prendre un?

– Genoux! cria Le Haricot d'un ton sévère en pointant son doigt vers Sammy.

Tout le monde éclata de rire.

– Il connaît les consignes! expliqua Rosalie. Tu dois t'asseoir par terre et prendre le chiot sur tes genoux. Il se tortille tellement qu'il risque de tomber.

Rosalie marqua une pause.

– Oh, et fais attention à leurs petites dents. Elles sont en train de sortir et elles sont super coupantes. Il va falloir commencer à leur apprendre que ce n'est pas bien de mordre.

Sammy hocha la tête.

– O.K. O.K., dit-il en s'asseyant à côté de Charles. Je peux en prendre un maintenant?

Dalia était déjà en route pour faire connaissance avec cet étranger. Charles aida son ami à prendre le chiot et à le poser sur ses genoux.

– Elle s'appelle Dalia.

– Et voici Capucine! dit Rosalie en souriant avec fierté à la petite chienne qui se débattait pour lécher son menton.

– Et Biscuit! ajouta Charles qui se pencha pour

flatter le chiot roux.

Biscuit attendait toujours que sa mère revienne se coucher pour pouvoir continuer à boire.

– C'est un timide, précisa Charles.

– Il est plus petit que les autres, constata Sammy. Et il ne sort pas de la boîte. Est-ce qu'il a un problème? Eh, attention!

Il rattrapa Dalia qui gigotait dans tous les sens pour lui échapper et aller renifler quelque chose de nouveau.

– Il n'a aucun problème! répondit Charles.

Mais c'était vrai que Biscuit avait l'air plus lent que ses sœurs. Peut-être qu'il avait juste sommeil. Après tout, les chiots venaient de prendre leur repas.

– On dirait les chiots de *Drôles de chiots*, dit Sammy.

– J'ai dit la même chose! s'exclama Charles.

– Vous voulez entendre ma dernière blague? demanda son ami, qui poursuivit sans attendre la réponse. Comment appelle-t-on un petit chiot de cinq jours en Suède?

Charles réfléchit une seconde.

– Comment veux-tu que je le sache? répondit-il

finalement.

– Un chiot! s'écria Sammy, triomphant. Il éclata de rire.

Charles rit lui aussi, mais il ne trouvait pas la blague si drôle que ça.

– Moi aussi, j'en ai une, dit-il. Sais-tu pourquoi un jardinier vérifie toujours la gueule d'un chien avant de le laisser entrer dans son jardin?

Sammy haussa les épaules.

– Parce qu'il a peur du chiendent! répondit Charles qui éclata de rire. Il trouvait sa blague bien meilleure.

– Les gars, au lieu de rire, vous feriez mieux de surveiller les chiots, intervint Rosalie.

Charles lui tira la langue, mais il savait qu'elle avait raison. Dalia entrait dans le placard des casseroles et Biscuit se dirigeait droit vers Skipper, sans doute pour avoir encore à boire. Charles et Sammy aidèrent à rassembler tous les chiots et à les remettre dans la boîte avec leur mère.

Après que les Fortin, et Sammy, eurent finalement mangé leurs crêpes, maman décida qu'il était temps de donner aux chiots leur premier repas solide. Mme Daigle avait expliqué comment faire. Maman mixa de la préparation pour bébés chiots avec des céréales de riz, puis Charles l'aida à verser ce mélange gluant dans le plat spécial que Mme Daigle leur avait donné.

Rosalie étala des journaux par terre et Charles posa le plat dessus. Les chiots se précipitèrent sur la nourriture comme si c'était une piscine par une chaude journée d'été.

Miam, pensa Dalia. Elle plongea la tête dans cette bouillie qui sentait si bon et en lécha un peu.

Qu'est-ce que c'est? se demanda Capucine. Elle lécha un peu du mélange gluant sur l'oreille de Dalia.

Biscuit savait que cette chose blanche était de la nourriture, mais il ne savait pas comment s'y prendre pour la manger. Ce n'était pas comme la tétée. Oh, ma foi, au moins, ça sentait bon. C'était une bonne place pour une petite sieste.

Tout le monde éclata de rire quand Biscuit se coucha au milieu du plat. Capucine sauta hors du plat et s'ébroua, à la manière d'un chien adulte en envoyant de la bouillie partout dans la pièce! Puis Dalia sortit à son tour et partit en trottinant vers Charles, laissant derrière elle toute une série de petites empreintes blanches et collantes sur le plancher de la cuisine. Biscuit, lui, se roulait dans le plat, comme s'il ne voyait vraiment pas quoi faire d'autre avec cette bouillie.

Toute la famille riait de plus en plus fort.

Quelle catastrophe! Charles avait du mal à croire que trois chiots minuscules pouvaient faire autant de dégâts.

Rosalie ramassa Capucine et commença à la sécher avec un essuie-tout.

Sammy plongea pour attraper Dalia avant qu'elle ne laisse encore plus de traces.

Maman tenta de faire sortir Biscuit du plat, tout en empêchant le Haricot d'y entrer.

– Tout ça est ridicule, dit maman.

– Bah, dit papa en courant pour aller chercher plus d'essuie-tout. Un chiot est un chiot!

CHAPITRE SIX

Maria, la meilleure amie de Rosalie, arriva ensuite. Elle entra dans la cuisine au beau milieu de la catastrophe.

– Attendez! Je veux prendre une photo avant que vous ramassiez tout!

La veille au téléphone, Maria et Rosalie avaient discuté et décidé de faire une affiche avec la photo des chiots. Elles iraient ensuite la coller partout en ville. Il devait bien y avoir au moins trois personnes à Saint-Jean qui voulaient adopter un chiot! Ça serait super de voir les nouveaux propriétaires tous en ligne le jour où les chiots auraient l'âge de partir pour leurs foyers d'adoption.

Maria sortit son appareil numérique de son sac à dos, s'agenouilla et commença à prendre photo sur photo. *Clic! Clic! Flash! Flash!*

Dalia se demandait ce qu'était cette lumière aveuglante. Elle regarda la nouvelle arrivante. Puis elle se précipita vers elle en trébuchant tellement elle avait hâte de voir de quoi il s'agissait. Elle colla son nez sur la chose qui faisait des éclairs. La grande fille poussa un petit cri de surprise!

Capucine s'assit brusquement et commença à se laver, comme sa mère le lui avait appris. Ce n'était pas aussi drôle que de lécher une personne, mais la bouillie sur ses pattes avait drôlement bon goût.

Biscuit avait encore faim, mais il ne pouvait pas aller voir sa mère pour boire. Pas avec cette chose effrayante qui lançait des éclairs. Il essaya de se cacher derrière le genou de Charles. Il savait que la place était sûre.

Skipper se leva et se dirigea vers le plat que ses petits avaient abandonné. Comme elle allaitait ses petits, elle avait très faim ces derniers temps. Cette bouillie ne ressemblait pas à sa nourriture habituelle et ne sentait pas pareil non plus. Mais c'était quand même de la nourriture, et donc ça se mangeait! Elle commença à lécher le plat.

— Hé, Skipper, c'est de la bouillie pour tes chiots! s'exclama Rosalie. Oh, et puis après tout…

Assise sur ses talons, Maria riait en regardant les chiots.

— Ouah, ils sont tellement mignons, dit-elle. Vous êtes vraiment chanceux! On dirait les chiots dans…

— *Drôles de chiots!* s'écrièrent Rosalie, Charles et Samuel en chœur.

— Ils ont des noms maintenant, précisa Rosalie.

Elle présenta les trois chiots à Maria.

— Celle qui n'a peur de rien et a presque posé son nez sur ton appareil photo s'appelle Dalia. La câline qui veut toujours faire des becs est Capucine et le timide qui se cache derrière la jambe de Charles, c'est Biscuit.

— J'adore ces noms! dit Maria. Ils sont parfaits. En fait, ces *chiots* sont parfaits. Vous leur trouverez des foyers en un rien de temps.

Elle posa Capucine sur ses genoux et laissa la chienne lui lécher le menton.

— J'espère vraiment que tu as raison, soupira alors Mme Fortin en essuyant la bouillie sur le chandail du Haricot.

Maria appuya sur le bouton de visualisation des

images à l'arrière de son appareil et montra à tout le monde les photos qu'elle avait prises. Les chiots étaient adorables, mais très sales! Tous adorèrent la photo de Capucine en train de lécher la bouillie sur l'oreille de Dalia. Elle était tellement drôle.

– Peut-être que ce ne sont pas les meilleures photos pour notre affiche, dit Rosalie. Terminons d'abord de nettoyer, ensuite on prendra d'autres photos.

Le temps de laver, puis de sécher les chiots, ceux-ci avaient très envie de dormir. Ce fut alors facile de les faire poser dans le sac à dos d'école de Rosalie, avec juste leurs mignonnes petites têtes et leurs pattes qui dépassaient. Dites « cheese » ou plutôt « chiots! » dit Maria en les mitraillant avec son appareil photo.

Quand elles furent certaines d'avoir de bonnes photos, Maria et Rosalie déposèrent les chiots dans la boîte près de Skipper pour qu'ils fassent un petit somme. Puis elles montèrent au second étage pour travailler sur leur projet.

Rosalie aimait beaucoup faire des affiches sur l'ordinateur. Elle en avait déjà faites plusieurs pour les chiots que les Fortin avaient accueillis et elle était devenue vraiment bonne. Tout d'abord, elle et Maria téléchargèrent les photos des chiots. C'était difficile de choisir la meilleure! Elles étaient toutes adorables.

Puis Rosalie tapa le titre qui était « On recherche des foyers d'adoption! » En dessous, elle écrivit tout ce qu'elle savait sur les chiots : leur âge, le fait qu'il y avait deux femelles et un mâle, et la date où ils seraient prêts pour l'adoption.

– Peut-être que tu pourrais ajouter quelque chose sur la race, dit Maria. Ils ont peut-être un peu du Husky avec leurs oreilles toutes droites.

Rosalie leva les yeux vers son affiche « Les races de chiens dans le monde ».

– Husky? répéta-t-elle. Je n'y avais pas pensé, mais tu as peut-être raison. Ils pourraient aussi avoir un peu du Saint-Bernard vu leur couleur.

Elle rit.

– En fait, ils pourraient avoir un peu de tout. De toute façon, quand ils seront grands, ce seront de super chiens, comme leur maman.

Une fois l'affiche terminée, elles redescendirent pour la montrer à tout le monde.

– Bravo, dit maman. Très jolie.

– Elle est très réussie, confirma Papa. Si vous voulez en mettre quelques-unes en ville, je peux vous déposer en voiture. Je dois aller à une réunion à la caserne. Ensuite, vous rentrerez à pied.

Charles et Sammy promirent d'aider maman à s'occuper des chiots pendant que Maria et Rosalie colleraient les affiches.

Papa déposa les filles près du bureau de poste. Elles descendirent la rue principale en s'arrêtant chez le marchand de chaussures, le nettoyeur et le boulanger. À chaque fois, les gens aimaient beaucoup l'affiche et étaient d'accord pour la prendre, mais personne ne voulait de chiot.

– J'ai déjà trois chiens à la maison, grommela une dame chez le marchand de chaussures.

– Mon fils est allergique, dit le propriétaire du nettoyeur.

– Je ne pense pas que mes chats apprécieraient tellement un chiot, dit la fille derrière le comptoir de la boulangerie.

Rosalie et Maria laissèrent une annonce dans chacune de ces boutiques. Puis, elles continuèrent à marcher.

– Eh, regarde ça! s'écria Maria en s'arrêtant devant la vitrine d'une librairie. Ça serait l'endroit parfait pour notre affiche.

Rosalie regarda le nom sur l'enseigne.

— Le Chien chanceux, lut-elle. Il y a toujours eu une librairie ici, mais le nom est nouveau.

— Et le propriétaire aussi, dit un homme aux cheveux blancs, très grand, qui disposait des livres sur une table à l'avant du magasin. Je viens de vendre ma librairie à Montréal pour pouvoir m'installer ici. Je me plais déjà beaucoup à Saint-Jean.

Il sourit aux deux amies.

— Je m'appelle Jérôme Cantin, dit-il. Mais qu'est-ce que vous avez là?

Rosalie lui montra l'affiche.

— Pouvons-nous l'accrocher dans votre vitrine? demanda la jeune fille.

Le libraire jeta un coup d'œil sur l'affiche et leur fit un grand sourire.

— Bien sûr, que vous pouvez, dit-il. Mais, j'ai l'impression d'avoir déjà vu ces chiots quelque part...

— C'est peut-être parce qu'ils ressemblent à ceux de *Drôles de chiots*! répondit Maria.

— C'est ce que tout le monde dit, expliqua Rosalie.

Jérôme Cantin hocha la tête.

— C'est ça! confirma-t-il. Peut-être que je vais aussi

mettre ce livre en vitrine. J'essaie de trouver des moyens pour attirer les gens dans mon magasin. Personne n'a l'air d'avoir remarqué que je suis ici!

Il se gratta le menton.

– J'ai entendu dire que Cécile Vareuil venait de s'installer à Saint-Jean. Peut-être que d'avoir un auteur de la région en vitrine, ça aiderait ma librairie à démarrer.

Il regarda de nouveau l'affiche.

– Ces chiots sont vraiment mignons, dit-il.

– Ils seront prêts à être adoptés dans deux ou trois semaines, répondit Maria avec un sourire.

– Vous voulez qu'on vous en réserve un? demanda Rosalie pleine d'espoir.

– J'aimerais beaucoup avoir un chiot, dit Jérôme. J'ai toujours eu des chiens. En fait le nom de ma libraire vient du dernier chien que j'ai eu, Lucky. Ça veut dire chanceux en anglais.

Il eut l'air triste quelques instants.

– Lucky était le meilleur chien du monde. Il me tenait compagnie dans mon ancienne librairie. Les clients l'adoraient. Tous les jours, il trouvait le moyen de me faire rire.

Il sourit en secouant la tête.

— Mais pour l'instant, je dois me concentrer sur ma librairie, continua-t-il. Peut-être que quand j'aurai assez de clients, je pourrai penser à adopter un chien.

Jérôme prit l'affiche et la colla sur la vitrine. Il promit que, la prochaine fois qu'elles viendraient, il leur montrerait des photos de Lucky.

Rosalie et Maria collèrent toutes les affiches qui leur restaient dans des magasins du centre-ville. Ensuite, Maria annonça qu'elle devait rentrer chez elle. Rosalie prit donc toute seule le chemin du retour.

En marchant, Rosalie réfléchissait au fait que aucune des personnes à qui elles avaient parlé ne voulait adopter de chiot. Elle commençait à comprendre pourquoi Mme Daigle parlait si souvent de tous ces chiens dont personne ne voulait. Et elle commençait à comprendre que cela allait être plus difficile qu'elle l'imaginait de trouver trois familles pour les chiots de Skipper, même s'ils *étaient* les chiots les plus mignons de tout l'univers.

CHAPITRE SEPT

Quand Rosalie arriva chez elle cet après-midi-là, la maison était silencieuse. Elle entra dans la cuisine et trouva sa mère assise près de la boîte des chiots, l'air bouleversé.

– Oh, Rosalie, dit-elle. Je suis contente que tu sois rentrée.

– Qu'est-ce qui se passe? demanda Rosalie.

– Je suis vraiment inquiète pour le petit chiot mâle, répondit Mme Fortin. Biscuit. Il n'a pas l'air d'aller bien du tout.

Rosalie et sa mère regardèrent à l'intérieur de la boîte.

Biscuit était roulé en une minuscule petite boule et semblait à peine remarquer que ses sœurs lui marchaient dessus dans leur lutte acharnée contre le serpent en peluche.

– Je crois qu'il tremble, dit Rosalie.

Elle n'avait jamais vu un chiot trembler comme ça avant.

– Pauvre Biscuit! soupira-t-elle. Où est papa? Où est Charles?

– Papa n'est pas encore rentré de sa réunion, et Charles et Sammy viennent juste de sortir pour promener Cannelle et Rufus, répondit maman en mordillant sa lèvre inférieure. Elle avait vraiment l'air bouleversé.

– Maman, il faut appeler la vétérinaire, docteure Demers, dit Rosalie. Elle, elle saura quoi faire.

Maman hocha gravement la tête.

– C'est exactement ce que je pensais, approuva-t-elle. Je suppose que j'attendais que papa rentre à la maison pour l'amener à la clinique.

– Je crois qu'on ne devrait plus attendre, dit Rosalie.

Biscuit avait l'air vraiment malade. Il avait à peine bougé depuis que Rosalie le regardait, même si Skipper le poussait un peu avec son museau. Tout ce que le petit chiot pouvait faire, c'était de rester allongé en frissonnant.

Biscuit sentait sa mère qui le touchait, mais tout ce qu'il voulait, c'était qu'on le laisse tranquille. Il était tellement fatigué! Il avait faim aussi, mais il n'avait plus l'énergie de se battre contre ses sœurs pour manger.

Maman téléphona à Catherine Demers et lui raconta l'histoire de Skipper et de ses petits. Puis elle expliqua que Biscuit semblait ne pas avoir autant d'énergie que les deux autres. Rosalie était restée près de Biscuit pendant que sa mère téléphonait. Elle était inquiète pour lui.

– Catherine Demers a dit qu'elle venait tout de suite, lui annonce maman après avoir raccroché.

Dix minutes plus tard, la vétérinaire sonnait à la porte.

– Voyons voir un peu ces chiots! dit-elle avec un grand sourire quand Rosalie vint lui ouvrir la porte.

La jeune fille se sentit tout de suite rassurée.

– Oh, ça alors, s'exclama la vétérinaire en entrant dans la cuisine. Comme ils sont mignons!

Elle s'accroupit près de la boîte.

– Je vois ce que vous voulez dire pour ce petit chiot, déclara-t-elle.

Elle tendit le bras, et, très délicatement, prit Biscuit dans ses mains. Elle le palpa partout et vérifia ses yeux, sa bouche et ses oreilles.

– Ça va aller, mon trésor, murmura-t-elle doucement en caressant le minuscule chiot.

Biscuit gémit. Skipper, qui était aux pieds de la vétérinaire, gémit aussi. C'était comme si elle disait : « Pouvez-vous aider mon bébé? »

Pendant ce temps-là, Capucine et Dalia jouaient avec les espadrilles de Catherine Demers et attaquaient férocement ses lacets.

– C'est exactement ce que je pensais, dit docteure Demers. Je pense qu'il est juste sous-alimenté. Ce qui veut dire, ajouta-t-elle en voyant l'expression effarée de Rosalie, qu'il n'a pas assez à manger. Cela arrive parfois au plus petit chiot d'une portée. On appelle alors ce chiot « l'avorton de la portée ».

– Effectivement, ses sœurs le repoussent souvent, confirma maman. Alors, que fait-on?

La vétérinaire sortit un biberon de son sac.

– On lui donne un peu de préparation lactée pour chiots en plus, dit-elle. Comme ça, que ses sœurs le laissent boire ou non, nous sommes sûrs qu'il mange assez.

Elle montra à maman et à Rosalie comment mettre quelques gouttes de la préparation sur leurs doigts pour que Biscuit la lèche. Ensuite, elles guidèrent lentement le chiot vers le biberon, pour qu'il comprenne où aller s'il en voulait plus. Finalement, la vétérinaire demanda à Rosalie de s'asseoir et de prendre Biscuit sur ses genoux pour le nourrir.

Très vite, le chiot se mit à téter avec avidité, les yeux fermés. Rosalie voyait pratiquement son petit ventre s'arrondir.

– Il avait vraiment très faim, dit-elle doucement.

Elle caressa le cœur blanc sur sa poitrine.

– Je pense que son état va très vite s'améliorer, dit docteure Demers, mais il faut le nourrir aussi souvent que possible dans les prochains jours. Un biberon toutes les trois ou quatre heures. Voulez-vous vous en charger ou préférez-vous que je l'emmène à la clinique?

– On va le faire! s'écria Rosalie. Je mettrai mon réveil et je me lèverai cette nuit.

– Sûrement pas, dit maman. Demain, il y a école.

– Je n'irai pas à l'école. Je resterai à la maison! répondit Rosalie.

Maman secoua la tête.

— Il n'en est pas question, dit maman. Et puis c'est demain que Cécile Vareuil vient à l'école. Tu ne voudrais pas manquer ça…

Elle regarda Catherine Demers.

— Mais Biscuit peut rester ici, ajouta-t-elle. Je vais m'occuper de lui.

— Je suis sûre que tout ira très bien, dit docteure Demers. Appelez-moi si vous avez le moindre problème. Je suis toujours heureuse d'aider les familles qui accueillent des chiots abandonnés. Ils ont besoin de toute notre aide.

Avant de partir, elle s'agenouilla pour flatter Skipper, Dalia et Capucine.

— C'est tellement dommage, déclara-t-elle. Il y a beaucoup trop de chiens abandonnés dans le monde. Ce n'est pas facile de trouver une maison à chacun.

La vétérinaire regarda Rosalie.

— Mais tu dois savoir tout ça toi qui travailles au refuge.

Rosalie hocha la tête.

— Mme Daigle a une affiche qui dit que si une chienne a des chiots, et que *ces* chiots ont des chiots, qui ont eux aussi des chiots et ainsi de suite, on peut se retrouver avec près de soixante-dix *mille* chiens en l'espace de sept ans!

– Ouah! s'exclama maman. C'est énorme.

– Et ces chiots deviennent des chiens, continua Rosalie. Tu devrais voir le nombre de chiens qu'il y a aux Quatre pattes en ce moment. Et ils ont tous besoin d'une maison.

– C'est vrai, dit docteure Demers. Mais un chien qui serait adopté par des personnes aimantes comme vous serait très chanceux.

Elle flatta Skipper encore une fois puis prit congé. Mais ce que venait de dire Catherine Demers donna une idée à Rosalie. Elle était tellement occupée à réfléchir qu'elle oublia de dire au revoir à la vétérinaire.

Un chien chanceux, pensait Rosalie. *C'est le nom de la librairie de Jérôme Cantin.* La jeune fille aurait bien aimé aider plus de chiens du refuge à devenir des chiens chanceux, avec une maison. Et elle voulait aider le libraire à se faire connaître. S'il avait plus de clients, il pourrait peut-être envisager d'adopter l'un des petits de Skipper. Jérôme était tellement gentil et la librairie serait une très bonne maison pour un chiot.

Rosalie commençait à se dire qu'elle pourrait bien

trouver une solution pour aider, en même temps, les chiens du refuge, les chiots de Skipper *et* Jérôme Cantin.

CHAPITRE HUIT

– Biscuit a l'air encore un peu faible, dit Charles le lendemain matin au déjeuner. Peut-être que Rosalie et moi, on devrait rester à la maison et aider maman à s'occuper de lui.

Il jeta un coup d'oeil au petit chiot roux assis sur les genoux de sa mère. Biscuit regarda le garçon avec ses doux yeux bruns. Charles avait l'impression qu'il les suppliait de ne pas aller à l'école. Capucine et Dalia se débrouillaient très bien toutes seules, mais Biscuit avait besoin d'eux.

Charles s'attendait à ce que Rosalie dise quelque chose, mais sa sœur, plongée dans ses pensées, se contenta de fixer son bol de céréales.

Sammy, qui finissait sa deuxième rôtie, approuva immédiatement.

– Moi aussi, je veux vous aider, dit-il.

Sammy aussi aimait beaucoup Biscuit. Et il était toujours heureux de manquer un jour d'école.

– Merci pour votre offre, répondit Mme Fortin. Mais le Haricot et moi sommes tout à fait capables de prendre soin de Biscuit. Je lui ai donné à manger deux fois cette nuit. Il va déjà beaucoup mieux.

Elle baissa les yeux vers le petit chiot.

– N'est-ce pas M. Biscuit? gazouilla-t-elle.

Biscuit tendit la patte en entendant son nom et maman se pencha pour lui donner un bec sur la tête.

Biscuit aimait cette dame. Et elle l'aimait aussi, il le savait. Il était bien sur ses genoux. C'était presque aussi agréable que d'être roulé en boule avec sa mère. Il renifla sa joue quand elle l'embrassa.

Maman gloussa.

Elle *gloussa* vraiment! Charles lança un regard à Rosalie en haussant les sourcils, mais Rosalie semblait ne rien avoir remarqué. Charles n'avait jamais vu leur mère se comporter comme ça avec un chiot. Mais Biscuit pouvait faire fondre le cœur de n'importe qui. Il avait vraiment quelque chose de spécial.

– Biscuit! cria le Haricot.

Il se leva pour toucher le chiot.

– Super! Le Haricot connaît déjà le nom de Biscuit! s'exclama Charles.

C'était la première fois que le Haricot appelait un chiot par son vrai nom. D'habitude, il disait juste « Iot, Iot ».

– Doucement, dit maman au Haricot.

– C'est bien, approuva-t-elle quand le Haricot caressa doucement le museau du chiot. C'est comme ça qu'il faut flatter un chiot.

– Moi caresses! réclama le Haricot.

Il trottina jusqu'à Charles et posa sa tête sur les genoux du garçon. Celui-ci caressa doucement la tête de son frère.

– Gentil Haricot, dit-il. Ça, c'est un gentil Haricot.

Le Haricot se mit à rire et fit le tour de la table pour avoir des caresses. Faire semblant d'être un chien était son jeu préféré.

Après le déjeuner, Charles, Rosalie et Sammy flattèrent encore un peu le Haricot et les chiots puis partirent pour l'école.

– Qu'est-ce que tu as? demanda Charles à sa sœur.

Tu as l'air d'être sur une autre planète.

– Je réfléchis, répondit Rosalie. Je travaille sur une idée.

Puis elle se mit à parler, si vite que Charles eut du mal à suivre.

– En fait, je pense à tous ces chiens au refuge qui ont besoin d'une nouvelle maison. Et à nos chiots qui vont aussi en avoir besoin. Il faut que tout le monde soit au courant.

Rosalie balançait son sac de classe en parlant et était de plus en plus excitée.

– Et je pense aussi à la nouvelle librairie, le Chien chanceux. Son propriétaire est vraiment très gentil. Il s'appelle Jérôme Cantin et il adore les chiens. Si ça marche bien, il pourrait même adopter un des chiots! Mais il a d'abord besoin d'attirer du monde dans sa librairie.

Charles et Sammy échangèrent un regard. Où Rosalie voulait-elle en venir?

– Alors je pense, poursuivit la jeune fille, qu'on pourrait organiser une grande fête pour l'ouverture de la librairie – et inviter tous les chiens du refuge! Les gens viendraient à la librairie pour la fête, mais ils verraient aussi les chiens, et les chiots de Skipper.

Et peut-être que certains seraient adoptés! Ce serait des chiens chanceux, tu vois!

Charles et Sammy hochèrent la tête.

– C'est une idée géniale, dit Charles.

– C'est aussi beaucoup de travail, le prévint Rosalie. D'abord, il faut que j'en parle à Mme Daigle et à Jérôme Cantin. Peut-être que Maria et moi, on pourrait faire les biscuits et les boissons aux fruits...

Elle balança son sac d'école encore plus fort.

– Mais comment faire pour que les gens viennent à la fête?

Tout le long chemin vers l'école, Rosalie continua de parler pendant que les deux garçons se contentaient d'approuver. Rosalie était comme ça. Quand elle avait une idée, en tête, elle ne pouvait penser à rien d'autre.

Mais une fois arrivé à l'école, Charles oublia complètement le projet de Rosalie. À la réunion du matin, M. Lazure rappela à la classe 2B que c'était aujourd'hui que Cécile Vareuil venait à l'école. Elle serait à la bibliothèque et lirait des extraits de ses œuvres à chaque classe.

– J'aimerais que vous réfléchissiez à des questions

pour elle, dit M. Lazure à la classe. Ce n'est pas tous les jours qu'on a la chance de parler à une auteure en personne.

Il avait mis quelques-uns des livres de Cécile Vareuil en exposition sur l'étagère.

Charles avait très hâte que ce soit son tour de parler.

— Devinez qui est venu vivre avec nous cette fin de semaine? dit-il quand M.Lazure lui donna la parole.

Il pointa *Drôles de chiots* sur l'étagère.

— Des chiots! Et ils ressemblent beaucoup à ceux-ci!

Charles fouilla dans son sac à dos et en sortit l'affiche que Rosalie et Maria avaient faite.

— Vous voyez, demanda-t-il en la faisant circuler.

Tout le monde fit « ouah! » en voyant les chiots. Charles raconta comment Skipper et ses petits étaient arrivés chez eux, quels étaient leurs noms et leurs différentes personnalités.

— Et ils vont rester chez vous pour toujours? demanda M. Lazure.

Charles secoua la tête.

— Non, fit-il tristement. J'aimerais en garder un, mais nous sommes juste leur famille d'accueil. Ils ont tous besoin d'une nouvelle famille.

Pendant toute la matinée, Charles jeta des coups d'œil à la couverture de *Drôles de chiots*. Il était si impatient d'entendre Cécile Vareuil le lire à haute voix. Finalement, après le dîner, ce fut au tour de sa classe de descendre à la bibliothèque.

Maman avait raison. Cécile Vareuil ne se comportait pas du tout comme une auteure célèbre. Elle était petite, et ronde, avec des cheveux gris. Elle avait un grand foulard rouge vif autour du cou. Elle s'assit par terre et invita tous les élèves à s'asseoir en cercle avec elle. Puis elle fit la lecture de deux de ses ouvrages, en montrant les illustrations et en s'arrêtant parfois pour poser des questions comme « Est-ce que l'un ou l'une d'entre vous a un petit frère ou une petite sœur? » ou bien « À votre avis, quel genre d'animal a vu Susie? ».

Charles fut un peu déçu qu'elle ne lise pas *Drôles de chiots*. Mais il aimait les livres que Cécile Vareuil avait choisis.

Puis, ce fut l'heure des questions.

– Où trouvez-vous vos idées? demanda Simon.

– Combien de livres avez-vous écrits? demanda Lucie.

– Est-ce que c'est vous qui dessinez les illustrations dans vos livres? demanda Robert.

– Est-ce que vous aimez les dinosaures? demanda Sammy.

Cécile Vareuil répondit à toutes les questions. Puis, Mme Bruno, la bibliothécaire, dit qu'il restait juste assez de temps pour une dernière question. Charles leva la main et Cécile Vareuil lui donna la parole.

– Quel est votre livre préféré? demanda le garçon. Moi, c'est *Drôles de chiots*.

Il mourrait d'envie de lui parler de Dalia, Capucine et Biscuit, mais il savait que ce n'était pas le moment.

– Oh, celui-là aussi je l'aime beaucoup, répondit Cécile Vareuil. J'adore les chiots même si je n'en ai plus depuis de nombreuses années. Mais j'ai écrit ce livre il y a bien longtemps! En général, mon livre préféré, c'est celui sur lequel je suis en train de travailler.

La sonnerie retentit juste à ce moment-là et M. Lazure dit à la classe de remercier Cécile Vareuil. Il était temps de partir.

Charles attendit que tout le monde soit sorti, puis il se dirigea vers l'auteure. Comme Rosalie, il venait d'avoir une idée. Il était presque trop timide pour demander, mais Cécile Vareuil avait l'air si gentille. Qu'avait-il à perdre?

Il s'arrêta un moment devant elle sans rien dire, cherchant ses mots. Cécile Vareuil lui sourit en haussant les sourcils comme si elle l'encourageait à parler.

Charles lui adressa un sourire timide.

— Est-ce que je peux vous inviter à une fête? demanda-t-il.

CHAPITRE NEUF

— Bienvenue à notre fête! dit Rosalie à une femme et son petit garçon.

Rosalie accueillait les gens à la porte de la librairie.

— Voulez-vous un ballon?

Elle donna au petit garçon un ballon rouge avec une photo de chien.

— Il y a des biscuits et des jus dans la section des livres pour enfants, et bientôt Cécile Vareuil viendra lire et signer ses livres.

La grande idée de Rosalie s'était réalisée! Cela avait pris trois semaines pour tout organiser, mais cela en avait valu la peine. Il était déjà clair que la fête du Chien chanceux serait un événement dont on se souviendrait longtemps en ville.

Tout le monde avait aidé Rosalie pour la fête. La jeune fille avait organisé plusieurs réunions chez elle avec Mme Daigle et Julie du refuge, Catherine Demers, Jérôme Cantin et même Cécile Vareuil. Ils avaient organisé toute la fête dans les moindres détails. Rosalie n'en revenait toujours pas que Charles ait réussi à décider la grande auteure de participer à leur projet. La présence de Cécile Vareuil allait attirer beaucoup de monde à la librairie. Et c'était quelqu'un de plaisant qui aimait aussi s'amuser. Lors des réunions, Cécile voulait toujours régler tous les problèmes rapidement pour avoir le temps de jouer avec les chiots.

Biscuit devenait plus fort chaque jour, et tous les chiots grandissaient très vite. Capucine savait déjà s'asseoir quand on le lui demandait, et Dalia apprenait à marcher en laisse. Les trois chiots mangeaient des aliments solides. Ils allaient bientôt être prêts pour l'adoption. Rosalie et Charles essayaient de ne pas trop y penser.

Papa avait passé des heures sur son ordinateur à préparer un CD pour la fête – il adorait trouver les bonnes chansons pour chaque occasion – et maman avait écrit un article dans le *Courrier de Saint-Jean* pour annoncer l'événement.

— La publicité! avait-elle dit. C'est la clé de la réussite.

Ça devait être vrai, car les gens affluaient vers la librairie depuis le tout début de la fête. La chaîne stéréo diffusait à fond « Un p'tit Clébard », de Pierre Perret. C'était au tour de Maria et de Rosalie d'accueillir les invités.

— Est-ce que cela vous intéresse d'adopter un chien ou un chiot? demanda Maria à la femme et au petit garçon qui venaient d'arriver. Si vous en adoptez un aujourd'hui, vous aurez droit à trois visites gratuites chez la vétérinaire, plus un livre qui explique comment éduquer et prendre soin des chiens.

— Nous allons voir ça de plus près, répondit la femme qui sourit à son petit garçon. Éloi veut un chien depuis qu'il a deux ans.

— Je sais exactement ce qu'il ressent, dit Rosalie en faisant un clin d'œil à Éloi. Amusez-vous bien!

Juste à ce moment-là, Charles et Sammy arrivèrent en courant.

— On vient de coller trois autocollants jaunes de plus! déclara Charles.

– Super! répondit Rosalie. Notre système marche vraiment bien.

Elle détestait presque l'admettre, mais c'était vrai. À leur toute première réunion, Mme Daigle avait dit qu'il n'était pas question d'emmener tous les chiens du refuge à la librairie.

– Trop fou, avait-elle dit. Ils aboieraient, bousculerait les gens et volerait de la nourriture. Aucune personne saine d'esprit n'adopterait un chien dans ces conditions.

Rosalie avait été très déçue, jusqu'à ce que Julie ait eu une idée fantastique.

– L'affiche que tu as faite avec ton amie est vraiment géniale, dit-elle à Rosalie. Si tu faisais une affiche pour chacun des chiens du refuge, on pourrait les accrocher dans la librairie. Les gens verraient à quoi ressemblent les chiens et auraient de l'information sur leur histoire, leurs caractéristiques et leur personnalité.

– Très bonne idée, avait répondu Mme Daigle. Mais il y a un problème. On ne peut pas demander aux gens d'adopter un chien simplement à partir une affiche. Ils vont avoir besoin de les voir en vrai.

– Vous avez raison, dit Julie. Mais je crois que j'ai

trouvé une solution amusante. On pourrait avoir trois autocollants différents à mettre sur les affiches. L'un dirait « adoptez-moi », un autre dirait « Quelqu'un s'intéresse à moi » et le troisième dirait « J'ai trouvé une maison. » Le refuge est à cinq minutes de marche de la librairie. Ceux qui veulent rencontrer les chiens pourront le faire.

Maintenant les affiches étaient terminées – Maria et Rosalie avaient fait un excellent travail – et la fête battait son plein.

Jusqu'ici, il y avait quatre autocollants rouges « Je suis un chien chanceux! J'ai trouvé un foyer! » sur les affiches accrochées un peu partout dans le magasin. Ces chiens avaient déjà été adoptés! Rosalie savait que cela allait lui manquer de ne plus pouvoir les promener au refuge, mais elle était heureuse de savoir qu'ils avaient trouvé un foyer.

Charles et Sammy proposèrent d'accueillir les invités pendant un moment pour que Maria et Rosalie puissent faire un tour dans le magasin. Les gens lisaient les affiches tout en regardant les livres à vendre. Le CD jouait maintenant « Y avait des gros crocodiles… et des orangs-outangs » preuve que Le Haricot avait aidé papa à faire sa compilation. Ces derniers temps, c'était sa chanson favorite.

Maman errait dans le magasin avec son carnet de journaliste à la main. Catherine Demers distribuait des prospectus sur la façon de garder son chien en santé. Julie et Mme Daigle s'occupait, chacune à leur tour, d'accompagner les gens au refuge pour leur montrer les chiens.

– Génial! dit Rosalie en montrant du doigt l'une des affiches. Quelqu'un s'intéresse à Tiago.

Il y avait un autocollant jaune sur la photo du labrador qui disait « Quelqu'un s'intéresse à moi. Aujourd'hui pourrait être mon jour de chance! »

– Super! dit Maria. Viens allons voir les chiots.

Skipper et ses petits étaient les seuls chiens à avoir eu le droit de venir à la fête. Jérôme Cantin leur avait fabriqué une sorte d'enclos dans un coin à côté de la caisse enregistreuse. Cécile Vareuil et le libraire étaient avec les chiots quand les deux amies s'approchèrent.

– Regarde cette gentille petite Dalia! gazouilla Cécile Vareuil en tendant le bras pour caresser Dalia.

– Eh toi, M. Biscuit! dit Jérôme en prenant le petit chiot roux dans ses bras.

— Tu as bien grandi, ajouta-t-il en en tenant fermement le petit chiot qui gigotait dans tous les sens. Tu es un grand garçon maintenant.

Capucine poussa un petit aboiement, réclamant la même attention que ses frères et sœurs.

Prenez-moi! Prenez-moi! Capucine voulait un câlin.

Dalia lécha la main de la gentille dame. Miam!

Biscuit se sentait en sécurité dans les bras de ce monsieur si grand, mais où était Rosalie? Et Charles? Et leur maman? Il s'ennuyait d'eux tous.

Skipper observait ses petits avec fierté. Ils grandissaient tellement vite! C'était bien qu'ils apprécient la compagnie des gens, car elle ne pourrait pas toujours s'occuper d'eux. Bientôt, ils allaient devoir partir.

— Hé, c'est quoi ça? s'exclama Maria.

Le visage de Rosalie s'assombrit en voyant les autocollants rouges « J'ai trouvé une maison! » sur l'enclos des chiots.

— Tous les chiots ont été adoptés? s'écria la jeune fille. Oh non!

Pour une raison ou une autre, elle ne s'attendait pas à ça. Elle savait que sa famille n'était qu'une famille d'accueil, mais elle ne s'était pas encore préparée à leur départ.

– Je pensais que tu serais contente, dit Cécile Vareuil. Contente pour Dalia et Capucine, et contente pour moi.

Elle prit Capucine et approcha les deux petites chiennes blotties ensemble de son visage rond et souriant.

– Vous voulez dire que...? Rosalie regardait fixement Cécile Vareuil.

L'auteure hocha la tête.

– Je prends ces deux petites filles, dit-elle. Je suis tombée en amour avec elles. En plus, il est temps pour moi d'écrire une suite à *Drôles de chiots*. Les gens n'arrêtent pas de me dire qu'ils ont adoré ce livre. Dalia et Capucine seront les héroïnes de ma prochaine histoire.

– Et moi, je prends Biscuit. Une librairie qui s'appelle Le Chien chanceux a besoin d'un chien. Ce petit chiot grandira ici et deviendra la mascotte du magasin.

– Ouah! fut tout ce que réussit à dire Rosalie.

C'était de bonnes nouvelles. Non, en fait c'était d'*excellentes* nouvelles. Les trois chiots avaient trouvé des maîtres merveilleux. Alors pourquoi avait-elle envie de pleurer?

CHAPITRE DIX

– Je ne comprends pas pourquoi je me sens si triste alors que la fête était très réussie, dit maman.

– Moi aussi, je me sens triste, dit Charles.

– Je vois ce que voulez dire, confirma papa.

– Moi triste! gémit le Haricot.

Rosalie renifla et s'essuya les yeux.

La fête au Chien chanceux était terminée et les Fortin étaient chez eux, tous seuls. Ils avaient l'impression que c'était la première fois depuis des semaines. La fête avait été un grand succès. Sept chiens au moins avaient trouvé un nouveau foyer.

Les trois chiots de Skipper aussi.

Et c'est probablement pour ça que les Fortin avaient l'air si malheureux, même s'ils faisaient semblant de célébrer cette belle réussite avec une pizza et des sodas au gingembre.

Ils étaient assis dans la cuisine et regardaient les chiots jouer ensemble pour l'une des dernières fois. Ils partiraient pour leurs nouvelles familles dans quelques jours. Aujourd'hui, on était samedi.

Mercredi prochain, les chiots seraient examinés encore une fois par la vétérinaire.

– À moins de gros changements, avait dit Catherine Demers à Rosalie, les chiots seront prêts à partir ce jour-là.

Les chiots étaient aussi drôles que d'habitude. Dalia renifla le bol de nourriture et faillit marcher dedans. Capucine se dirigea droit vers sa sœur à la recherche de leur nouveau jeu préféré : un poulet en caoutchouc. Biscuit poussa un féroce grognement de chiot en faisant semblant de se battre pour le poulet et en le tirant loin de Capucine. Le chiot roux était encore plus petit que ses sœurs, mais il était fort et en santé.

Oh, regardez! Dalia a trouvé une miette de nourriture qui était cachée. Miam!

Capucine grogna à son tour. Eh! Biscuit, rends-moi ce poulet!

Non, il est à moi! Biscuit fit comprendre à sa sœur qu'elle ne pouvait pas avoir le poulet pour elle toute seule. Elle ne le lui faisait plus peur.

— Eh toi, dit maman en prenant Biscuit dans ses bras pour lui faire un câlin. Laisse ta pauvre sœur tranquille.

Elle enfouit son nez dans le cou de Biscuit. Puis Rosalie l'entendit renifler.

— Maman! s'exclama la jeune fille. Tu pleures.

— Pas du tout! répondit maman. Peut-être que je deviens allergique aux chiens, c'est tout.

Mais Charles et Rosalie connaissaient la vérité. Comme eux, maman était tombée en amour avec les chiots. Et des trois chiots, le préféré de toute la famille Fortin était Biscuit. Peut-être parce que c'était celui qui avait eu le plus besoin d'eux. Qu'elle qu'en soit la raison, cela allait être très, très dur pour les Fortin de dire au revoir à Biscuit.

Les jours suivants, les Fortin passèrent le plus de temps possible avec les chiots. Maman continuait à donner le biberon à Biscuit, même s'il était maintenant assez fort pour pousser ses sœurs quand il avait faim. Maria et Rosalie prirent des dizaines de photos pour l'album souvenir qu'elles étaient en train de faire. Papa acheta des colliers pour chacun des chiots : rouge pour Capucine, mauve pour Dalia et vert pour Biscuit. Et Charles et Sammy jouèrent avec eux pendant des heures pour leur apprendre les bonnes manières.

Mercredi arriva bien trop vite. Catherine Demers fut la première à sonner à la porte après le souper. Elle s'agenouilla tout de suite près de la boîte et, tout en jouant avec eux, examina chaque chiot.

— Ce sont les chiots les plus en santé que j'ai jamais vus! déclara-t-elle au bout de quelques minutes. Même le petit gars est en pleine forme maintenant.

Elle ôta son stéthoscope.

— Je dirais qu'ils sont prêts à partir, ajouta-t-elle. Regardez, leur maman pense comme moi.

Skipper était effectivement de moins en moins patiente avec ses petits. Elle se roulait toujours en boule avec eux quand ils dormaient, mais elle ne supportait plus qu'ils la mordillent ou grognent pour jouer. Elle leur faisait comprendre qu'elle méritait un peu de respect et les écartait de la patte quand ils devenaient trop embêtants.

Jérôme Cantin et Cécile Vareuil arrivèrent ensuite.

— Où sont ces mignonnes petites filles? demanda Cécile dès qu'elle entra dans la cuisine. Mes petites chouettes, j'ai tellement hâte de vous ramener à la maison.

Elle s'assit sur le plancher et prit Capucine et Dalia sur les genoux.

Jérôme Cantin avait l'air gêné. Rosalie se demanda pourquoi il ne prenait pas Biscuit dans ses bras.

— Écoutez, dit-il. J'ai une bonne et une mauvaise nouvelle.

— Commencez par la bonne, répondit papa.

— La librairie marche très fort, annonça Jérôme avec un grand sourire. J'ai eu énormément de clients cette semaine et c'est grâce à notre grande fête d'ouverture. Tout le monde en ville sait que je suis là maintenant.

— Et quelle est la mauvaise nouvelle? demanda Charles.

Il retint son souffle. Cela pouvait-il être ce qu'il espérait?

— Eh bien, dit Jérôme. La mauvaise nouvelle, c'est

que je pense que je suis trop occupé à la librairie et que je ne pourrais pas accorder à Biscuit toute l'attention dont il a besoin. Une librairie n'est pas un endroit pour un jeune chiot comme lui.

— Alors, finalement, vous n'allez pas avoir de chien à la librairie? demanda Rosalie.

La jeune fille vit Jérôme et Cécile échanger un regard.

— Si, je souhaite toujours avoir un chien, répondit le libraire. Et je me demandais si je pourrais adopter Skipper. Je crois qu'elle adorerait la vie à la librairie.

Il se pencha pour caresser les oreilles de Skipper.

— Qu'en penses-tu ma belle? Veux-tu être un chien de librairie?

Skipper agita la queue.

— Je pense que ça veut dire oui, dit papa. Ce sont d'excellentes nouvelles, Jérôme. Skipper a aussi besoin d'un nouveau foyer bien sûr. Et je suis sûr qu'elle se plaira beaucoup dans votre magasin.

— Mais, et pour Biscuit? dit Jérôme.

Cette fois, Rosalie vit sa mère et son père échanger

un regard. Elle croisa les doigts. Maman fit un petit signe de la tête.

— Je pense que Biscuit a déjà trouvé une famille, dit-elle. Ici, avec nous.

Elle se pencha pour prendre le petit chiot roux et lui faire un câlin. Papa mit un bras autour de ses épaules, et tendit l'autre main pour chatouiller Biscuit sous le menton.

Charles et Rosalie poussèrent des cris de joie.

— Ça y est, nous avons notre chien! cria Charles.

— Biscuit! Biscuit! Biscuit! chanta le Haricot en dansant dans la cuisine.

— Tu vas rester ici, avec nous, dit Rosalie à Biscuit.

Elle toucha le cœur blanc sur la poitrine du petit chiot, souriant et pleurant tout à la fois.

Biscuit regardait tous ces visages heureux.
Pourquoi tout le monde était-il aussi excité? Il l'avait toujours su, lui, qu'il appartenait à cette famille.
Biscuit avait trouvé la famille parfaite.

EN SAVOIR PLUS SUR LES CHIOTS

À leur naissance, les chiots sont très petits. Ils ont les yeux fermés et peuvent à peine marcher. Puis, très vite, ils commencent à explorer le monde autour d'eux. Les chiots ont besoin de rester avec leur mère dans un endroit confortable et sécuritaire jusqu'à ce qu'ils soient assez grands pour manger seuls.

Il est important également de prendre les chiots dans ses bras et de jouer avec eux pour les habituer à vivre avec les humains. Skipper et ses petits ont eu beaucoup de chance d'être accueillis par les Fortin.

As-tu déjà pris un chiot nouveau-né dans tes bras? Si jamais tu as cette chance, sois très calme et très gentil. Les chiots ont besoin de beaucoup d'amour!

Chères lectrices,
Chers lecteurs,

La première fois que j'ai vu Django, c'était un minuscule petit chiot qui vivait encore avec sa maman. Il avait dix frères et sœurs! C'était tous des labradors noirs, comme Django. Ce n'était pas facile de les différencier. La mère de Django avait beaucoup de travail pour les surveiller.
Django n'était pas le plus petit, comme Biscuit, mais il n'était pas non plus le plus gros. C'était très rigolo de voir tous ces chiots faire des cabrioles et jouer ensemble. Mais ce que j'ai trouvé le plus amusant, c'est de ramener Django à la maison et de l'aider à devenir un chien grand et fort.

Caninement vôtre,
Ellen Miles

À PROPOS DE L'AUTEURE

Ellen Miles vit dans le Vermont aux États-Unis. Elle a écrit d'autres titres pour la collection *Mission : Adoption*, dont ceux qui figurent au début de ce livre. Elle est également l'auteure de *The Pied Piper* et d'autres classiques de Scholastic.

Ellen Miles a toujours aimé les bonnes histoires. Elle aime aussi faire de la bicyclette, skier et jouer avec son chien, Django. Django est un Labrador noir qui préfère manger les livres plutôt que les lire.